TRUE COLORS

II-II

ROH
TAE HYUN

KIM SANG GYUN

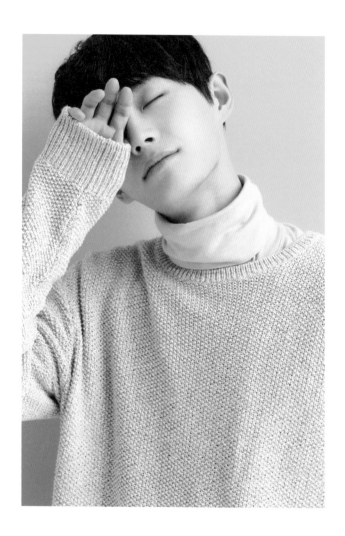

TRUE COLORS [1]

Lyrics by zomay, 오브로스, real-fantasy, MAYFLY, 김상균, 권현빈
Composed by 오브로스, zomay, real-fantasy, MAYFLY
Arranged by 오브로스, real-fantasy, zomay

ON MY MIND [2]

Lyrics by 1of1, 권현빈
Composed by 1of1, 이동우, 220
Arranged by 프라이머리, 1of1

꽃이야 [3]

Lyrics by 이단옆차기, Bull$eye, 김상균, 권현빈
Composed by 이단옆차기, EastWest, Bull$eye
Arranged by 이단옆차기, EastWest, Brownn

MOONLIGHT [4]

Lyrics by 카겐, earattack, 권현빈
Composed & Arranged by earattack, 리시

WONERFUL DAY [5]

Lyrics by zomay, 오브로스, Bello, 김상균, 권현빈
Composed by 오브로스, zomay, 5$, Bello
Arranged by 오브로스, 5$

매일 [6]

Lyrics by zomay, 오브로스, real-fantasy, MAYFLY, 김상균, 권현빈
Composed by 오브로스, zomay, real-fantasy, MAYFLY
Arranged by 오브로스, real-fantasy, zomay

매일 (LOVE VER.) [7]

(CD ONLY)

Lyrics by zomay, 오브로스, real-fantasy, MAYFLY, 김상균, 권현빈
Composed by 오브로스, zomay, real-fantasy, MAYFLY
Arranged by 오브로스, real-fantasy, zomay

TRUE COLORS [1]

Lyrics by zomay, 오브로스, real-fantasy, MAYFLY, 김상균, 권현빈
Composed by 오브로스, zomay, real-fantasy, MAYFLY
Arranged by 오브로스, real-fantasy, zomay

하늘 위 구름이 지나간다
하얀 빛에 Look at the sky

그래 내게
그래 내게
You are light to me

더 크게 Woo Ya 네가 생각한 Paint
내 맘속 Blue
Are you gonna change this game
He was in a lot of pain
너의 도움에 또 Gain 해
난 사랑에 그윽한 빛을 바라 번져 보라색

아름다운 색으로 물들게
흑백 속에서 널 찾게

너의 빛으로 I live
나의 빛으로

* 네가 내려서
난 꽃이 되고 있어
너와 닮은 하늘의 빛은
따뜻해 날 물들게 해
빛이 되어서
스며들고 있어
네가 다가온 순간에
난 변해 가고 있어

** True colors yeah
네가 나를 불러줄 때
True colors yeah
아름답게 물들여줘

Firework 내게 다가와 사뿐히 네가 닿을 때
Boom 안 보여 너밖에 둘만 하자 Party
더 Vivid하게 속삭여줘 내게
If you want some more drop that curtain

네 모습을 바라보다
생각이 나 너와 함께한 시간

너의 빛으로 I live
나의 빛으로

*

너로 인해 살아가
내게 선물해준 그 빛으로

점점 파래져 점점 하얘져
계속 물들어

You light me up
You light me up

*

**

Piano & Synthesizer & Drum Programing 김동열, 오브로스, zomay Chorus zomay Vocal directed by 김보아 Recorded by 박선영 @ SoundPool Studios
Mixed by 박혁 @ SoundPool Studios (Assist. 최진영) Mastered by 권남우 @ 821 Sound Mastering

ON MY MIND²

Lyrics by 1of1, 권현빈
Composed by 1of1, 이동우, 220
Arranged by 프라이머리, 1of1

* On my mind
  On my mind
  On my mind baby

작은 별을 세어가
푸른 밤은 덥석
너도 모르게 널 에워싸

신발 끈이 헤질 때쯤에 난 걸음을 멈춰
너란 섬에 와

** Baby you got me up all night
   Baby you got me up all night

난 혼자인 게 편했는데
너를 만난 후에 변한 게
수도 없이 많지
고장 났던 네비
길을 잃은 삶에서
날 나가지 못하게 하던 장애물을 깼지

난 걸어가려 해
너와 함께 갈 수 있는 시간 속으로
도착할 때쯤에 내가 믿어진다면
그때는 멋쩍게 손을 내밀 수 있겠지

*** We going on
    너와 나만의 곳에 가자
    Baby it's time to grind my mind
    We going on
    새로운 얘길 시작하러 가자
    해가 뜨기 전에 Girl

이젠 그냥 쉬어도 돼
불어나는 걱정 불안 따윈 전부 내려놔

목마름이 더 해져 힘들 땐
걸음을 멈춰 내 옆으로 와

**

나는 항상 웃고 있고
나는 항상 꽃을 피고
나는 항상 강아지가 돼
정말 이걸 바랬다면
난 다른 길을 가겠지
그래 잘 알아듣길 바라
네가 부끄럽지 않게

우린 사랑하잖아
아름다워질 거야
맞추면 돼 조금만 노력해줘 Bae
시간이 금이라는 말이 계속 생각하게 돼 많이
우릴 밝게 비추게 해

***

넌 그대로 있어줘 지금 모습 그대로
모든 게 변해 가도 Girl
난 너를 놓치지 않아

변함없길 바라
너와 나의 시간엔
마지막 인사는 없을 거야 넌 내 옆에만 있어

So right
난 믿어 널
지금 내 눈앞의 곳에
Nice place to play my love

***

*

*

Drum & Bass & Keyboard 프라이머리, 1of1 **Chorus** 오민석 **Vocal directed by** 김보아 **Choreograph directed by** 노태현 **Recorded by** 온성윤 @ SoundPool Studios **Mixed by** 고현정 @ koko sound studio **Mastered by** 권남우 @ 821 Sound Mastering

꽃이야 [3]

Lyrics by 이단옆차기, Bull$eye, 김상균, 권현빈
Composed by 이단옆차기, EastWest, Bull$eye
Arranged by 이단옆차기, EastWest, Brownn

I don't know me either
You are in full blossom
Just hold me tight

그냥 친한 친군 척
남자 사람 친군 척
네 주위를 계속 맴돌기만 해

매일 보는 사인데
왜 볼 빨개지는데
이상해 말도 못 해 나 왜 이래

Everyone loves the things she do
중심을 잃어버려 네 옆에선 나도
다시 본 Blossom 어제와는 다르죠
또 가끔은 지쳐 너를 생각하면
그품은 감수해 I'll be a daydreamer

아슬아슬 위험하게 내 맘 갖고 노는데
나 어떡해야 해 더 커져가고 있는데

* What?
너는 나의 꽃이야
너는 나의 봄이야
계속 피어나니까
감당 안 돼 어떡해 나
이제부터는 내가 있잖아
안아줄 거야 언제나
처음 만난 그 순간부터 넌 나의 꽃이야

나의 꽃이야

왜 넌 나의 꽃이야 왜왜
네 앞에서만 몸치야 Baby
네 목소리가 달콤하게 바람에 날려
날 끌어안아 줘 난 미쳐 바라 Me like yuh

I can't control myself
난 미소를 짓네 전화기에
널 담아 눈으로 찰칵 셔터
너의 갤러리 In my head

금지된 선을 이미 넘은 듯
금단의 술을 마신 듯
너에게 빠져들어 이미 취했어

아슬아슬 위험하게 내 맘 갖고 노는데
나 어떡해야 해 더 커져가고 있는데

*

널 가지고 싶어 다 표현 못 해
입술이 맘대로 움직이질 않네

없어 너밖에 다 안드로메다에
Come closer 내 맘이 네 맘에 닿길

후회 없이 직진해

*

나의 꽃이야

Bass 이민영 **Piano** 박현용 **EP** 함준석 **Chorus** 윤영복, 김수빈 **Vocal directed by** 김보아 **Choreograph directed by** 만두, 홍재민 **Choreography** 비비트리빈, 안태성, 진재원, 노태현 **Recorded by** 김초롱 @ DUBLEKICK STUDIO **Mixed by** 김석민 @ Mapps Studio **Mastered by** 권남우 @ 821 Sound Mastering

MOONLIGHT [4]

Lyrics by 키겐, earattack, 권현빈
Composed & Arranged by earattack, 리시

You and me
달이 뜨는 밤 같이 하늘을 바라볼래

You and me
너의 눈빛은 내게 할 말이 많아 보여

그 눈을 감고 내게
입술을 열어 마법처럼 말해줘 Baby

If you wanna love with me
좀 더 가까이 와서 날 밝혀줘 Baby

* You already know about me
알잖아 나는 그저 단지
너와 같은 마음뿐인 걸
You already know about me
알잖아 나는 그저 단지
너와 같은 마음뿐인 걸

깜깜한 어둠 속에서
오직 환하게 밝혀주는 너는
넌 마치 moonlight moonlight 이 공간은
I can't stop my feeling
오직 너와 난 Light and dark
No one else like you
난 너 말곤 아무도 여자로 안 보여

** 달이 뜬 이 밤에 말해 주겠니?
Baby love me love me baby
내 곁으로 와 안겨주겠니?
Baby love me love me baby
어둠 속에 너를 지켜줄 테니
Baby love me love me baby
No one else like you
난 너 말곤 아무도 여자로 안 보여 Baby

I'm talking about
늑대의 본성을 본 너는 봐줄 수가 없네
알아 이 밤에 날 부르는 사람은 너기에
도망은 무의미해 걸리면 더 뜨겁게
걸리면 책임은 안 져 넌 Just defend yourself

저 달이 날 끌어당기는 밤이면
내 맘에 밀물처럼 밀려오는 네 얼굴
애가 타서 조그만 배를 띄웠어
이 멜로디에 내 마음 실었어

*

**

My head my head is all about you
내 머리에 비집고 들어온 너라는 꿈
두 눈을 감아도 달처럼 떠오르는
마치 유성처럼 내 품에 떨어지는 넌

너무 아름다운 반칙
그 주위엔 늑대들이 너무 많겠지만
이 밤도 우린 손을 잡고 같이
더 가치 있는 일을 몰래 할 테니
오늘도 난 저 달 아래서 "Awooo"

**

Guitar earattack Bass & Keyboard & Piano 리시 Drum programming 리시, earattack Chorus earattack Vocal directed by 김보아 Choreograph directed by
안태성, 진재원 @ JACKPOT Recorded by 박선영 @ SoundPool Studios Mixed by 이건호 @ Team N Genius Mastered by 권남우 @ 821 Sound Mastering

WONDERFUL DAY [5]

Lyrics by zomay, 오브로스, Bello, 김상균, 권현빈
Composed by 오브로스, zomay, 5$, Bello
Arranged by 오브로스, 5$

* Wonderful day
Special day
너와 있으면 난 언제나 특별해지는 걸
Wonderful day
Beautiful day
내 곁에 있어 고마워 모든 걸 다 가진 듯한

Joyful day

첫날의 긴장감 지금의 익숙함도
변하지 않았어 너의 대한 설레임 Baby
반짝 이는 눈으로 날 밝혀줘
어디서도 널 찾을 수 있게

** 사랑스러운 목소리로 사랑한다 속삭여줘
꿈에서도 너만 바라볼 수 있게
느낀 적 없던 떨림 하루하루가 새롭지
절대 멈추지 말자 우리

*

Joyful day

두 손 꼭 잡고 새벽 거닐던 우리 둘
너와 내 사이를 이간질하려던 무리들
Joyful 관계성 보는 3자로선
놀라 자빠질 걸 우린 그저 다시 Red Sun

대체 내게 무슨 짓을 하는 거야
왜 너를 보면 숨이 턱 막히는 거야

Hold up wait 미는 거 아냐 당기는 거야
서둘러 우리 시간은 Waterfall인 거 알잖아
머지않아 우리 거리를 더 가깝게 해
난 다 좋아 끄덕여 너란 음악 앞에선
Mayday mayday mayday

숨넘어가니까 날 좀 더 안아줘

**

*

모든 걸 다 가진 듯해 그런 날이야
Wonderful day and wonder you baby
널 묻고 묻어도 궁금하단 말이야
치우자 이 테이블
Watch me nae nae yeah babe

네 생각에 하루에도 몇 번씩 감사해요
너도 내 마음과 같을까 궁금해요

How deep is your love
지금 내게 말해줘 너도 나 밖에 없다고
내 숨이 다 할 때까지 너만 봐
I'll be your man

Wonderful day day
Beautiful day day
Joyful day day
뭐든 너와 함께라면

Joyful day day
Beautiful day day
Wonderful day day
언제나

Wonderful day
Special day
너와 있으면 난 언제나 특별해지는 걸

Joyful day

Guitar 문종혁 Piano & Synthesizer & Drum Programing 오브로스, 5$ Chorus zomay Vocal directed by 김보아 Choreograph directed by Euanflow @ ALiEN
Choreography Vana Kim @ ALiEN Recorded by 온성윤 @ SoundPool Studios Mixed by 마스터키 @ 821 Sound Mastered by 권남우 @ 821 Sound Mastering

매일 [6]

Lyrics by zomay, 오브로스, real-fantasy, MAYFLY, 김상균, 권현빈
Composed by 오브로스, zomay, real-fantasy, MAYFLY
Arranged by 오브로스, real-fantasy, zomay

요즘은 매일 밤에 눈을 떠
저녁에 하루를 시작해 난
그래 난

지금은 일상이 매일 편한데
근데 왜 이렇게 난 아침을 보지 못 할까

잘 있어 너에게 건넨 말
잘 지내 너에게 묻고파

그때의 난 너무 어렸었지
너에게 바친 흑장미
Please forgive me
I was wrong
그래 뭘 하던 미치겠네
계단에 앉을 때 너를 들을 때마다
나는 널 기억해 매일매일

• 다시 우리가 사랑할 때로 시간이 돌아간다면
너를 볼 수 있다면
매일매일 기도한다고 그때로 돌아가라고
안 되는 걸 알면서

•• 이렇게 난
매일매일매일 바보처럼
매일매일매일 목쉬도록
매일매일매일 또 부르고
매일매일매일 널 기다려

넌 바다야 난 뛰어들어 못 헤어 나와도 돼
I'm gonna die baby
너로 인해 이제 숨 가쁘게 돼
When I'm alone 난 Domino 같아
괜히 꺼내보려 해서 다시 온몸으로 오열했던 밤

흐르는 눈물 가리지 마
내 품에 안겨 괜찮아

꽃이 피고 지고
다시 피고 계절이 바뀌어도
우리 사랑은 영원할 거라고

하나만 약속할게
다시 만나는 그날까지
이 마음 변하지 않기

*

**

언젠가 널 다시 만난다면
말하고 싶어 꼭 하고 싶어
너와 나 아닌 우리로
돌아갈 수 있을까

정말 돌아갈 수 있을까

*

**

Guitar 김대헌 Piano & Synthesizer & Drum Programing 김동엽, 오브로스, zomay Chorus zomay Vocal directed by 김보아 Choreograph directed by
배원희, 박준우 @ LEGOLABLE Recorded by 온성윤 @ SoundPool Studios Mixed by 이건호 @ Team N Genius Mastered by 권남우 @ 821 Sound Mastering

매일 (LOVE VER.) [7]

(CD ONLY)

Lyrics by zomay, 오브로스, real-fantasy, MAYFLY, 김상균, 권현빈
Composed by 오브로스, zomay, real-fantasy, MAYFLY
Arranged by 오브로스, real-fantasy, zomay

요즘은 매일 밤이 설레어
난 너와 하루를 시작해 난
그래 난

지금은 일상이 매일 편안해
그래 머릿속에 난 너의 생각으로 가득 차

행복해 너에게 말할까
아니면 사랑한다 할까

그때의 난 너무 어렸었지
너에게 바친 흑장미
힘들지 않니 Honey
You're wrong
그저 널 보면 미치겠어
계단에 앉을 때 음악을 들을 때마다
너는 나를 생각해 매일매일

* 매일 우리가 사랑할 때 난 시간이 멈춰 준다면
계속 볼 수 있다면
매일매일 기도한다고 매일 보고 또 봐도
난 욕심이 나서

** 이렇게 난
매일매일매일 바보처럼
매일매일매일 목쉬도록
매일매일매일 또 부르고
매일매일매일 보고 싶어

넌 바다야 난 뛰어들어 못 헤어 나와도 돼
I'm gonna die baby
너로 인해 이제 숨 가쁘게 돼
매일 마주하는 너인데도 설레
이 시간부로 네가 아니라면 내 고개도 절레

추울 땐 나에게 걸어와
내 품에 안겨 괜찮아

꽃이 피고 지고
다시 피고 계절이 바뀌어도
우리 사랑은 영원할 거라고

하나만 약속할게
시간이 흘러도 그날까지
이 마음 변하지 않기

*

**

언제나 너를 사랑한다면
바랄게 없어 너만 있다면
너와 나 아닌 우리로
네 곁에 있을 거야

우린 영원할 테니까

*

**

Guitar 김대현 **Piano & Synthesizer & Drum Programing** 김동열, 오브로스, zomay **Chorus** zomay **Vocal directed by** 김보아 **Recorded by** 온성윤
@ SoundPool Studios **Mixed by** 이건호 @ Team N Genius **Mastered by** 권남우 @ 821 Sound Mastering

CREDIT

FAVE ENTERTAINMENT

EXECUTIVE PRODUCER 장현진, 남궁찬

MANAGEMENT DIRECTOR 조계원

MANAGEMENT 전화식, 최인혁, 최기성, 김수민, 최승언, 한치우

ADMINISTRATION SUPPORT 이정민, 김지현

ARTIST AGENCY

스타로드엔터테인먼트

춘엔터테인먼트

후너스엔터테인먼트

스타크루이엔티

위엔터테인먼트

YG케이플러스

LOEN ENTERTAINMENT

EXECUTIVE PRODUCER 김영석

PROJECT MANAGER 김지나, 정화윤

PUBLICITY PROMOTION SUPERVISOR 강수진

PUBLICITY PROMOTION DIRECTOR 차희진

STONE MUSIC ENTERTAINMENT

EXECUTIVE PRODUCER 길종화

EXECUTIVE SUPERVISOR 송동훈

PROJECT DIRECTOR 이아람

PROJECT MANAGER 송선희

PROJECT CO-ORDINATION 김정원

A&R 이세환, 노현준, 정천영

PRODUCTION 이협

MARKETING 김혜진

(Assist. 김수진)

FAN COMMUNICATIONS 이슬, 안주희, 김민주, 정혜수

AD. & EVENT 강인희, 임민혁, 황도영

MERCHANDISE 진민정, 이영은, 조세연, 김동훈, 이아름, 조주환

SALES PROMOTION 정찬태, 한우연, 이종화, 김진하

CONCERT 김윤주, 정현철, 도경진, 윤수혁

ADMINISTRATION 허민지, 박인영, 박성호

Mnet ARTWORKS 김태주, 서동철, 김동규, 조용원

VOCAL TRAINER 김보아

DESIGN 조대영, NONA @ RAINBOWBUS

BEHIND VIDEO SEM, HENN, chuing film, apple pie @ oh big hand

PHOTOGRAPHER 박건상

(Assist. 송경빈, 이해원)

MUSIC VIDEO 비슴 @ 바이킹스리그

STYLIST 송혜란(play ssong)

(Assist. 임설이, 최지선, 박미경, 박소담)

HAIR 차차, 이혜진, 지나, 가은 @ 정샘물

MAKE-UP 최윤미, 장정금, 김아연 @ 정샘물

II-II